세계 탐험 만화 역사상식 10

독일에서 보물찾기

세계 탐험 만화 역사상식 10

독일에서 보물찾기

글 곰돌이 co. | 그림 강경효 | 채색 박경원 | 사진 멀티비츠, 엔싸이버, 연합뉴스, 포토뱅크

펴낸날 2006년 5월 17일 초판 1쇄 | 2021년 2월 22일 초판 17쇄

펴낸이 김영진, 신광수 | CS본부장 강윤구 | 출판개발실장 위귀영 | 출판영업실장 백주현 | 디자인실장 손현지 | 개발기획실장 김효정

만화콘텐츠개발팀 조은지, 김다은, 김수지, 노보람, 손주원, 변하영, 이은녕, 정수현

출판디자인팀 최진아, 김리안 | 저작권 김마이, 이아람

채널영업팀 이용복, 이강원, 김선영, 우광일, 강신구, 이유리, 정재욱, 박세화, 전지현

출판영업팀 박충열, 황영아, 민현기, 김세라, 정재성, 정슬기, 허성배, 정유, 설유상

개발기획팀 이병욱, 황선득, 홍주회, 이기준, 강주영 | CS지원팀 강승훈, 봉대중, 이주연, 이형배, 이은비, 전효정, 이우성

펴낸곳 (주)미래엔 서울특별시 서초구 신반포로 321 | 문의 미래엔 고객센터 1800-8890 팩스 02)541-8249

출판등록 1950년 11월 1일 제16-67호 | 홈페이지 www.mirae-n.com

ISBN 978-89-378-4029-6 77900

ISBN 978-89-378-1355-9(세트)

세계 탐험 만화 역사상식 10

독일에서 보물찾기

글 곰돌이 co. | 그림 강경효

Mirae N 아이세움

펴내는 글

독일은 동서남북으로 무려 아홉 나라와 국경이 맞닿아 있어, 지리적으로
유럽의 중심일 뿐만 아니라 경제와 문화면에서도 유럽의 중심에 자리잡고
있습니다. 이러한 조건들은 바흐와 베토벤의 음악과 괴테의 문학, 칸트와
니체의 철학과 같은 풍부한 문화 자산들을 낳았습니다. 물론 맛있는
소시지와 맥주, 아름다운 성과 옥토버페스트 같은 축제도 독일의
자랑입니다.

독일은 역사적으로 수많은 제후국이 모여서 만들어진 나라입니다. 현재도
16개의 연방주를 가진 연방 국가로, 각 주마다 다른 문화와 전통을 갖고
발전하고 있습니다. 때문에 각 주마다 음식 맛도 다르고, 축제와 전통 의상도
조금씩 다르다고 합니다. 그러나 최근의 가장 두드러진 지역 차이는 역시
서독과 동독의 통일로 인한 것입니다. 통일 전 유럽의 경제를 이끌어 가던
서독과 국가 파산 직전이었던 동독의 경제 차이는 회복하기 힘든 것이어서,
1990년의 통일 이후 독일의 가장 큰 문제로 여겨지고 있습니다.

나치스와 히틀러 또한 독일을 말할 때 빼놓을 수는 없습니다. 나치스와
히틀러는 제2차 세계 대전을 일으킨 장본인이며, 유대인을 비롯한 수많은
사람들을 학살하여 전세계를 공포로 몰아넣었던 주범이기도 합니다. 이러한

독일의 과거는 독일인들의 마음 속에 깊은 상처이자 수치로 남아 있어서
지금도 사회 곳곳에서 이에 대한 사죄와 보상이 계속되고 있습니다.
그러나 최근 실업난에 빠진 동독 지역과 농촌 지역 등을 중심으로 히틀러의
나치즘을 신봉하는 네오나치즘이 새로운 사회 문제로 대두되고 있습니다.

주인공 팡이와 토리는 제2차 세계 대전을 일으킨 나치스의 총수, 히틀러가
숨긴 금괴를 찾아 독일로 향합니다. 나치스는 실제로 제2차 세계 대전이
끝나기 직전에 포로들과 유대인들에게 빼앗은 금을 모아 알프스 산맥
어딘가에 숨겨 두었다고 합니다. 이 책에 등장하는 히틀러의 금괴는 실제로
존재하는 것은 아니지만, 나치스의 금괴라는 충분한 자료와 근거를 바탕으로
한 것입니다. 금괴를 찾기 위해 알아야 하는 독일의 역사와 문화는 팡이와
토리의 모험만큼 즐겁고 재미있게 여러분에게 다가갈 것입니다.

2006년 5월
지은이 곰돌이 co., 강경효

차 례

등장인물 소개

지팡이

세계의 문화와 역사, 모험을 좋아하며
보물찾기 실력을 인정받아 약간 콧대가 높다.
언제나 토리보다 한 수 위라고 생각하지만,
토리와 함께 보물을 찾고 싶어하는
인디아나 존즈를 보고 발끈하여
독일로 떠나게 된다.

특기 보물의 단서를 잡아 내는 직감, 콧대 높이기.

주요 관심사 독일의 역사와 문화(특히 축구),
삼촌 장가 보내기.

도토리

팡이와 함께 보물찾기 짱 자리를 놓고
맞서는 친구 사이. 뛰어난 두뇌의 소유자로
미국을 함께 누볐던 인디아나 존즈로부터
보물을 찾자는 제안을 받지만,
바이올린 대회에 참가하기 위해 거절한다.

특기 뛰어난 바이올린 실력,
체계적인 조사 능력, 잘난 척하기.

주요 관심사 바이올린 대회 우승,
마음씨 착한 여자 친구 만들기.

안나

프란츠 씨의 딸로 할아버지가 나치스였다는 사실을 알고,
함께 금괴를 찾아 팡이와 함께 모험을 떠난다.
팡이 일행을 여러 도시로 안내하며 독일의 문화를 소개한다.

특기 독일의 문화와 역사 상식.

주요 관심사 할아버지와 아빠의 명예를 되찾는 것.

지구본 교수

세계적인 고고학자이나,
아직 제 짝을 만나지 못한 노총각.
함께 보물을 찾으면
소개팅을 시켜 주겠다는
인디아나 존즈의 말에 독일로 떠난다.

특기 상상을 초월하는 식사량,
뛰어난 역사 지식.

주요 관심사 소개팅, 다이어트.

인디아나 존즈

세계 곳곳에 숨겨진 낭만과 꿈,
보물을 찾는 트레저 헌터.
지 교수에게 히틀러의 금괴를 찾자고
도움을 청한다.

특기 땅파기, 코트 안의 비밀 도구.

주요 관심사 세상의 모든 보물
(특히 히틀러의 금괴).

프란츠

칼 소위의 아들로, 나치스였던 아버지 때문에
어릴 적 많은 어려움을 겪어 아버지와 의절한 상태.
금괴를 찾아, 아버지의 명예를 되찾으려 한다.

특기 동화와 소설을 이상하게
알고 있다.

주요 관심사 아버지의 죗값을
치르는 것.

칼 소위

옛 나치스 당원이자 히틀러의 친위대 대원으로,
금괴의 행방을 알고 있는 유일한 사람.
심장병으로 혼수상태를 왔다 갔다 한다.

특기 혼수상태에서 갑자기 깨어나기.

주요 관심사 과거 청산, 아들과 화해하기.

닥터 봉(봉팔이)

팡이와 토리의 영원한 숙적.
그리스에서 고생이 너무 심해
휴양하러 유럽에 왔다가 네오나치스의
의뢰를 받아 금괴 찾기에 나선다.

특기 의뢰인 몰래 보물 빼돌리기.

주요 관심사 평화로운 휴식,
히틀러의 금괴.

그 외 조연들

❶ 축구를 좋아하는 안나의 쌍둥이 **미하일**.

❷ 히틀러의 금괴를 찾는 **네오나치스**.

❸ 봉팔이의 충실한 부하 **쟝과 얀센**.

제1장

할로, 도이칠란트!

가자! 독일!

지구본 교수
연구실

*할로, 도이칠란트 독일어로 '안녕하세요, 독일'이란 뜻.

이 도둑놈!

가만두지 않겠다!

으아악~!!

잠까안~!!

어? 이 목소리는?!

지난번에 미국에서 만난……, 트레저 헌터 인디아나 존즈 아저씨잖아요?!

토, 토리야……

거짓말! 하나도 안 닮았는걸!

당신이 이렇게 만들었잖소!!

13

지구본 교수님께 제안할 게 있습니다.

주인도 없는 방에 몰래 와서 무슨 제안?!

그건 중요한 게 아닙니다.

아까 그 목걸이 좀 줄래?

이게 뭔지는 아시겠죠?

이걸 모르는 사람도 있소?

저도 알아요! 이건 절에 가면 있는 거잖아요!

농담이에요. 절에 있는 건 만 만(卍) 자로 선과 행복의 상징이죠.

이건 나치스의 상징인 하켄크로이츠고요.

히틀러의
황금요?!

그래. 히틀러가
자살하기 전에 금괴를
숨겼다는 정보를
입수했거든.

그게 내 사무실을
뒤진 것과 무슨
상관이오?!

초코
파이

초코
파이

엥?

지 교수님이
10년 전에 발표한
'독일 나치스 전범과
전후 처리에 관한 논문'이
필요해서지요.

10년 전
지교수

말도
안돼!

내
초코파이
여지마!!

오래 된 논문이라
구하기 어렵더군요.

그렇다면 낮에 와서
정중히 청했어야지!

흥

탁!

내가 워낙
부끄러움을 많이
타서 말이죠!

탁!

부끄러운 줄은
아시오?

생쥐처럼
몰래 들어오고!

탁!

지금 한번
해 보자는
겁니까?!

못할 거
없지!

외모가 전부는 아니죠!

여자는 남자의 묘한 매력에 끌리기 마련이죠!

부드러운 곱슬머리~.

풍채 좋은 배~.

폭넓은 지성 모두 그 사람 이상형에 딱 맞아요!

지… 진짜요?

함께 보물을 찾으면 반드시 소개팅을 시켜 드리죠.

덥네!

화끈 ZZ

화끈 화끈

덥다! 더워!

그, 그럼 팡이와 같이 독일로……

부끄~

부끄~

잘 생각하셨습니다!

소개팅 때문만은 아니에요!!

보물찾기 짱 팡이!

독일아, 기다려라! 보물찾기 짱 팡이가 가신다!!

토리 네가 같이 가는 게 아니고?

글쎄요, 저야 도와 드리고 싶지만……

뭐… 뭐야?

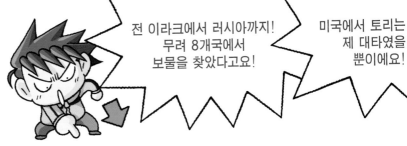

전 이라크에서 러시아까지! 무려 8개국에서 보물을 찾았다고요!

미국에서 토리는 제 대타였을 뿐이에요!

진짜 보물찾기 짱 앞에서 무슨 소리야!

비빙!!

이집트와 그리스, 러시아에선 나랑 같이 찾았잖아!

소문은 들었다. 한국에 대단한 소년 트레저 헌터가 있다고 말이야.

제 소문이 거기까지 났나요?

요 놈의 인기는 국경을 초월하는구나 ♪

하지만 난 미국에서 함께 보물을 찾은 토리 쪽이…….

◎◎아아악!! 내가 토리보다 못한 게 뭐야?

21

야야, 진정하고 이번엔 네가 가.

죄송하지만 제가 세계 어린이 바이올린 대회에 나가야 해서요. 이번엔 힘들겠어요.

너 바이올린도 하나?

내가 괜히 천재냐? 그 정도야 기본이지!

대회 결승은 베토벤의 고향인 독일 본에서 열리니,

잘 하면 만날 수도 있겠다.

그럼 내일 당장 출발하는 거요!

좋습니다!

소개팅 만세~!

보물 만세~!

토리! 요녀석!

난~너무 잘났어!

독일은 어떤 나라?

독일의 정식 명칭은 독일 연방 공화국(The Federal Republic of Germany)입니다. 수많은 영주 국가가 지방 분권 전통과 각 지방의 고유 문화를 유지하며 발전하였고, 독일 연방 공화국은 이러한 역사의 전통을 되살려 연방 정부와 16개의 주(州) 정부로 구성되어 있습니다. 정치는 연방 공화제를,

16개 주 중에 베를린, 함부르크, 브레멘은 도시 하나가 독립된 도시주입니다!

정부는 내각 책임제를 택하고 있어 국가 원수는 대통령이지만 실질적인 정치는 총리에 의해 이루어집니다.

수도인 베를린에는 약 350만 명이 살고 있으며, 총인구는 8,114만 명(2013년 기준) 정도로 게르만족이 전체 인구의 92%를 차지합니다. 총면적은 35만 7,022km², 한반도의 1.6배입니다. 연평균 기온은 9℃ 정도로 기후는 온화하고 다습합니다.

흔들림 없는 유럽의 중심

독일은 유럽 주요 국가들의 중심에 자리잡고 있지요!!

독일은 동쪽으로는 폴란드·체코, 서쪽으로는 프랑스·벨기에·네덜란드·룩셈부르크, 남쪽으로는 오스트리아·스위스, 북쪽으로는 북해·덴마크·발트 해와 접하고 있습니다. 지리적인 여건으로도 유럽의 중심이라 불릴 만하지만, 독일의 경제력 역시 유럽 연합의 중심에서 유럽 경제를 움직이는 강력한 힘입니다. 독일은 2005년 이후 세계 최대의

수출 규모를 유지하고 있으며, 특히 독일의 자동차는 유럽 연합 자동차 시장의 3분의 1을 장악하고 있습니다.

독일과 우리나라와의 관계

우리나라와 독일이 처음 접촉한 것은 1354년 고려 시대에 원나라에서
프랑크 제국의 사신과 만난 것에서부터 시작되었으며, 문헌상으로는 이수광의
〈지봉유설〉에 처음 나타납니다. 1883년 한독 수호 통상 조약이 체결되어
공식적인 외교 관계를 맺었지만, 1905년 을사조약으로 우리나라의 외교권이
박탈됨에 따라 조선 시대의 한·독 외교 관계는 20년 만에 끊어지고 맙니다.
이후 광복과 함께 우리나라와 독일은 각각 남북과 동서로 분단된 특수한 조건에서
외교를 시작합니다. 서독과는 1957년에 교류를 시작한 반면 동독과는 교류가
없었으나, 1990년 10월 동독이 서독에 통합·흡수되면서 통일된 독일과 외교
관계를 갖게 됩니다.

1960년대에는 협정을 통해 우리나라의 간호사와 광부들이 서독으로 파견되어,
독일 내 한인 사회의 주축이 되었습니다. 현재 독일에 살고 있는 동포는 약 3만
명으로 추정되며, 유럽 내에서 가장 큰 한인 사회를 형성하고 있습니다.

2005년에는 독일에 대한 수출이 급증하여 처음으로 100억 달러를 돌파하였고,
한·독 간 교역액도 200억 달러를 돌파해 독일은 중국, 일본, 미국에 이어 제4대
교역 상대국으로 부상하였습니다.

ⓒ연합뉴스

당시 우리가
서독에서 번
외화는 한 해에
5000만 달러.
GNP의 2%에
달하기도 했지.
우리 경제가 발전할
기틀이 세워졌다고.

독일 파견 간호사들 1966년부터 1977년까지 독일로 향한 간호사는 1만여 명에 달했으며,
뛰어난 실력과 친절함으로 '코리언 엔젤'이라 불렸다.

제 2 장
금괴의 행방

독일에 도착하기 전에
자세한 얘기를
더 듣고 싶군요.

랄라라
독일이다!

네, 나치스의 금괴는
전설 같은 이야기죠.

이야기는 제2차 세계 대전이 끝나 갈 무렵,
나치스가 패배를 예감하고 베를린에 있던
금괴와 재산을 빼돌린 데서 시작됩니다.

제국 은행이 연합군의 공습을 받자 제국 은행장이자 나치스의 경제 장관인 발터 풍크를 비롯한 히틀러의 측근들은

그 동안 점령국에서 빼앗은 금과 보석, 돈들을 안전한 장소로 옮기기로 하죠.

그러나 처음에 숨긴 금괴 8천 개와 렘브란트의 그림 등이 연합군에게 발각되고 맙니다.

8천 개요?!

이후 남은 금괴와 보물들을 숨기는 일은 더 신중하게 진행됐죠.

그들은 폭탄이 쏟아지는 전장을 가로질러 1억 6천 5백만 달러 상당의 금괴 730개와 외화들을 알프스 산맥으로 보냅니다.

알프스 산맥에서 금괴는 산악 부대 요원들에 의해 어느 산 속에 숨겨지고, 그 후 금괴의 행방은 묘연해지죠.

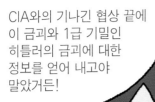

CIA와의 기나긴 협상 끝에 이 금괴와 1급 기밀인 히틀러의 금괴에 대한 정보를 얻어 내고야 말았거든!

시끄러워서 못 살겠군!!

엉 엉엉...

내 황금 내놔!!

내 황금!! 엉엉

그럼, 대체 CIA의 자료에 뭐가 있었기에 날 찾아온 거요?

바로 그 금괴를 숨겼던 사람들의 명단입니다!

File

CIA의 담당 부서가 그들을 추적했지만, 너무 오래 된 일이라 대부분이 세상을 뜬 상태였죠. CIA는 결국 이 건을 포기할 수밖에 없었어요.

이... 이런!

하지만 CIA와 나의 다른 점은, 난 지 교수님의 논문에 마지막 한 사람의 기록이 있다는 걸 기억해 냈다는 거죠!

바로 지금 우리가 찾아가는 칼 슈나이더 소위 말입니다.

아니 그분이 그런 일을?!

자네는 누군데 그걸 찾는 거지?

세계 곳곳에 숨겨진 낭만과 꿈을 찾는 사냥꾼! 트레저 헌터 인디아나 존즈요!

나로 말하자면……

웃긴 친구로군!

-썰렁~

맞아요!

휘이이잉~!!

그 금괴의 주인은 따로 있다네.

당신 같은 사람들에겐 소용 없는 물건이라고.

히틀러와 나치스의 것도 아니지!

게다가 당신 같은 나치스가 판단할 일은 더더욱 아니야!

어서 금괴가
있는 곳을 말해!

환자에게 이게
무슨 짓이오?!

환자는 무슨 환자!
나치스에게 예의 따윈
필요 없소!

나치스에 의해 유대인은 물론
얼마나 많은 사람들이 잔인하게
죽임을 당했는지 잊었습니까?!

저런 인간들 때문에
독일의 역사는 피로
물들었다고요!

할아버지!

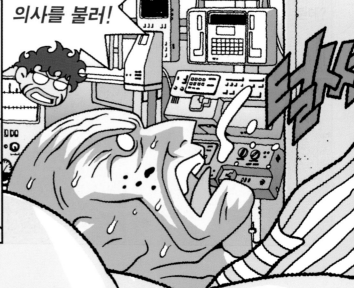

의사를 불러!

동화를……,
금괴……, 그들에게……,
잊지… 마라…….

금괴요?!

환자가 안정을
찾아야 하니
모두 나가 주세요!

방금 칼 소위가 너한테
뭐라고 한 거니?

절 프란츠라고 부르며
'동화, 금괴, 그들에게,
잊지 마라'고 말했어요.

프란츠는 소위
아들의 이름이야!
아들에게 무슨 말을 하려고
한 모양인데……

아!

금괴를 찾는 단서가 아닐까요?
아들과 칼 소위만의
암호인 거죠!

프란츠?!

독일 역사의 과오, 히틀러와 나치스

히틀러 웅변에 능한 히틀러는 대중 연설을 통해 독일인들의 지지를 얻었다.

독일이라는 나라를 떠올릴 때, 히틀러와 나치스는 빠지지 않는 것 중 하나입니다.

나치스는 19세기 말엽, 당시 유럽에 퍼져 있던 반(反)유대주의, 백색 인종 지상주의, 제국주의 및 독일 민족 지상주의를 바탕으로 생겨났습니다. 1933년 수상의 자리에 오른 히틀러는 권력을 잡자마자 반대 세력을 제거하고, 뉘른베르크 법을 통해 유대인 박해를 합법화합니다. 제2차 세계 대전이 일어난 후, 2년 동안은 독일이 승승장구하여 유럽의 절반 이상을 점령하고, 유대인과 슬라브족, 포로와 반나치 운동가들을 수용소로 보내 생체 실험과 대량 학살을 감행합니다. 나치스는 게르만족은 가장 우수한 인종이기 때문에 다른 민족을 지배할 사명을 가지고 있으며, 이와 반대로 가장 열등하고 해로운 인종인 유대인들은 교육을 받더라도 개선되지 않으므로 우수한 민족이 감염되지 않기 위해서는 유대인들은 격리시키거나 없애야만 한다고 주장했습니다. 때문에 나치스에 의해 죽어 간 유대인은 600만 명이 넘었고, 가장 악명 높았던 아우슈비츠 수용소에서만 400만 명 이상이 희생되었습니다.

ⓒ연합뉴스

아우슈비츠 수용소의 포로들 수용자들은 강제 노동과 영양 실조, 전염병으로 죽거나 샤워실이라는 가짜 팻말이 붙은 독가스실에서 학살되었다.

제2차 세계 대전이 끝난 뒤 독일인들은 대를 이어 자신들의 과거를 사죄하고 나치스의 비인간적인 행동에 책임져야 한다고 끊임없이 교육하고 있습니다. 독일 총리들은 사죄하며 무릎을 꿇었고 금전적인 보상을 하는 한편, 나치스 대학살 추모관을 건립하고 나치스 전쟁 범죄인을 찾아 내 처단하며 속죄하려는 노력을 계속하고 있습니다.

같은 제2차 세계 대전의 패전국으로, 전쟁 범죄인의 위패가 있는 사당에 총리가 참배를 하며, 자신들도 피해자라고 주장하는 일본의 태도와 비교된다고 할 수 있습니다.

추모비 앞에 무릎 꿇은 독일 총리
1970년, 폴란드를 방문한 빌리 브란트 독일 총리가 나치스에게 희생당한 사람들을 추모하고 있다.

네오나치즘

독일은 제2차 세계 대전 이후 과거 역사에 대해 반성하고, 그 이념과 사상을 단절시키기 위해 많은 노력을 기울여 왔지만 아직도 독일에는 나치주의 단체가 있습니다. 독일 민족 민주당은 나치주의를 바탕으로 한 정당이며, 이들 외에도 나치주의를 갖고 행동하는 사람들을 네오나치스라 부릅니다.

네오나치즘이란 현대 사회에 새롭게 나타난 나치주의로, 자국 우월주의와 합쳐져 독일뿐만 아니라 프랑스, 이탈리아, 오스트리아에서도 볼 수 있습니다.

독일 네오나치스는 서독 지역보다는 동독 지역에서, 대도시보다는 소도시와 농촌 지역에서, 또 기성 세대보다는 젊은 세대에서 확산되고 있습니다. 특히 궁핍하게 살아 온 동독 지역 사람들은 통일 이후의 침체된 경제 상황과 실업난을 외국인의 탓으로 돌리며 네오나치즘을 확산시켰습니다. 독일 내에서는 네오나치스를 대수롭지 않은 것으로 여기는 경향이 있지만, 최근 외국인을 대상으로 한 테러가 급증하고 있어 단속의 필요성이 커지고 있습니다.

제 3 장
또다른
추적자

뮌헨, 호프 브로이하우스

당장 프란츠 씨한테 가자고
방방 뛸 때는 언제고, 쳇!!

독일 속담에
'수프는 뜨거울 때
먹는 것이 최고'란
말이 있지. 뭐든 기회가
왔을 때 해야 한다는
뜻이야.

여기까지 와서
맥주를 안 마시면
손해라고!

자,
프로스트
(건배)!

40

독일 음식이 맛없다는 얘기는 어디서 나왔는지 모르겠구나.

이렇게 맛있는 것들이 많은데 말이야.

그런데 음식마다 감자가 빠지질 않네요. 찐 감자, 으깬 감자, 감자 경단……

확실히 독일 음식 하면 맥주, 감자, 소시지 이 세 개가 대표적이지.

소시지만도 1,500종류에 빵도 200종류가 넘고, 이름난 감자도 수십 종류나 된다지?

아~, 하나씩만 먹어 봤으면……

'프랑스에 치즈가 있다면 독일에는 소시지가 있다' 고 할 정도로 독일 소시지는 사랑받는 음식이죠!

하나 남은 소시지를!

여기 소시지 추가요!

맥주도 더 주세요!

너무 많이 먹었나~.

벌컥 벌컥

으악, 냄새!!

꺼억

해롱~ 해롱~

더 마실 수 있다고요~, 마셔요~.

어유, 창피해! 아저씨가 되면 다 이래요? 이제 그만 가요!

벌 떠떡

꺼억

그래, 이제 그만……

으아악!!

어이쿠!

뒤뚱

주… 중심을 잡을 수가 없어!

그렇게 먹어대니 그렇죠!!

사…사람 살려!!

이… 일어날 수가 없어!

제 명성을 듣고 찾아 주신 건 고맙지만……

전 당분간 일을 맡지 않을 예정입니다.

뭐라고?

아, 아니 제 말은요…….

그리스에 다녀온 이후 몸도 많이 상했고…….

보… 보스….

이번에 유럽에 온 것도 스위스에서 요양이나 할까 해서거든요.

죄송하지만 좀 쉬려고요…….

어처구니가 없군!

실망도 이만저만이 아니야!

사람을 잘
알아봤어야지!

동양인이라기에
일본인인 줄 알고
일을 맡기려 했잖아!

그렇지만 할 수 없지.
원래 우리가 일을
의뢰하려고 한 사람의
행방을 알 수 없으니,

아쉽지만
할 수 없지!

네오나치스는
정통 독일인만
인정하잖소!

아시아인을
멸시하면서
일본인에게는
일을 맡기겠다니!

보스!
용기 있으
세요!

나치스라니,
우리는 * '국가사회주의
독일노동자당' 이라고!

무...
무서워!

그래도 일본과는
제2차 세계 대전 때
동맹을 맺기도 했으니,
지금이라고 못할 건
없거든.

그 때나 지금이나
모두 우리 독일을 위해
하는 일이니, 이 정도는
감수할 수 있어.

*NSDAP 국가사회주의독일노동자당(Nationalsozialistische Deutsche Arbeiterpartei), 나치스의 정식 명칭.
나치스는 반대파들이 얕잡아 부른 별명이었으나 현재 세계적인 통칭이 되었음.

히틀러의
금괴라면 관심이
있을 텐데?

웃음도 안 나오는군.
당신들 생각이 어떻건
난 더 앉아 있을
이유가 없소.

아우프 비더제엔
(헤어질 때 인사).

가자!

아… 아직 다
안 먹었는데…

그, 금괴라면…….
소문으로만 듣던
나치스의 금괴?!

휙

잘 알고 있군.
히틀러 총통이 대업을
이루진 못했지만,
이에 대비해 남긴
금괴가 있소.

활동 자금으로 쓰려고 찾았지만,
사람들이 전혀 협조를
안 해 줘서 찾기 힘들더라고.

이
사람을
아시나요

길좀
물읍시다!

쫙!

몰라요

나라도
그러겠다!

듣기로는 당신 같은
전문가도 흔치 않다 하니,
보수는 섭섭하지 않게
해 주지.

46

1억 6천 5백만 달러 상당의
나치스의 금괴!

보물을 찾는 사람이라면
적어도 한 번쯤은
들어 본 이야기죠.

우리 정보에 의하면
히틀러 총통의 금괴는
그 이상이라 했소.

히틀러의 금괴라……,
보물도 그만한 보물이
없을 거야!

그간의
실패를
한번에
만회하는
거야!

좋소! 찾는 것만으로도
가치가 있는 물건이오.

오케이!

우리가 줄 수 있는
자료와 정보는 모두
여기 들었소!

자, 그럼
프로스트!!

참, 좀 부담스럽겠지만
당신 뒤에는 항상 우리 당원들의
감시가 붙을 거요.

혹시라도
이상한 마음은
먹지 말도록!

보스! 네오나치스 놈들에게
저런 말을 듣고도 금괴를
찾으실 겁니까?!

같이 일한 지
벌써 열 권째면서
대체 왜 이래?!

날 그렇게
몰라?

그럼, 역시
보물을 빼돌……!

독일 음식의 특징

독일의 음식 문화는 실용적인 독일의 국민성에서도
잘 드러납니다. 조리 과정은 단순하지만 다양한 종류의
음식들은 풍부한 맛을 가지고 있습니다. 또한 독일은
예로부터 각 지방의 특색이 강한 나라로, 이러한 특성은
음식에도 그대로 나타납니다. 각 지방마다 즐기는 음식은
물론 먹는 법과 요리법이 각각 달라 독일의 대표적인
음식인 소시지와 맥주도 지방마다 맛의 차이가 뚜렷합니다.
동부 지역은 강한 향신료를 많이 사용하며, 바닷가를 접한 북부 지역은
스칸디나비아 반도의 영향으로 청어와 같은 생선을 많이 먹습니다. 라인 강 유역의
서부 지역은 양념이 강하지 않은 것이 특징이고, 남부 지역은 소시지와 맥주,
감자를 이용한 요리가 다른 지역에 비해 많아 우리가 일반적으로 생각하는 독일
요리에 가장 가깝다고 할 수 있습니다.

감자는 독일 요리에서
빠질 수 없는 것으로,
빵, 케이크, 오믈렛, 국수까지도
감자로 만든답니다!!

독일 음식의 대명사 소시지

독일 속담에 '사람은 빵만
먹고 살 수 없다. 반드시
소시지와 햄이 있어야 한다'라는
말이
있지

소시지와 햄이 발달한 독일은 음식점뿐만 아니라
길에서도 다양하고 뛰어난 정통 소시지를 맛볼 수
있습니다. 독일어로 부르스트라고 합니다. 재료는
돼지고기 외에도 간, 소의 혀 등을 쓰며, 야채와 카레를
첨가해 색다른 맛을 내고, 크기도 어른 팔뚝만 한
것에서부터 새끼손까락만큼 가는 것까지 천차만별입니다.
이렇게 종류가 많고 다양한 이유는 지역마다 강한
지방색을 갖고 각각 개별적으로 발전시켜 왔기 때문입니다. 우리가 잘 알고 있는
햄버거는 함부르크(Hamburg)에서 소시지를 빵 사이에 끼워 먹던 것이 미국으로
건너가면서 햄버거(hamburger)란 이름으로 유명해진 것입니다.

맥주의 본고장 독일

'맥주의 나라' 독일은 세계 1위의 맥주 소비국일 뿐만 아니라 5,000종 이상의 맥주를 생산하고 있는 나라입니다. 식수가 부족하기 때문에 독일 국민들에게 맥주는 술이라기보다 일상적인 음료에 가까울 정도여서 맥주는 액체 빵이라고 부를 만큼 매우 소중히 여겨집니다. 통계에 의하면 1년에 독일인 한 사람이 마신 맥주는 평균 127.4*l*로, 하루에 350㎖ 정도를 마셨다고 할 수 있습니다.

독일에는 거의 모든 지역에 맥주 양조장이 있어 각 지방마다 나름의 특색을 갖춘 독특한 맥주를 만날 수 있습니다. 맥주의 종류는 매우 다양하지만 가장 일반적으로 마시는 것은 황금색을 띤 필스너와 이보다 약간 쓴맛이 덜한 엑스포트, 달콤하고 색이 진한 흑맥주인 알트와 밝은 색의 쾰쉬 등입니다.

독일의 맥주는 순수성으로도 유명합니다. 1516년 빌헬름 4세는 '독일 순수법'을 제정해 맥주 양조를 엄격하게 관리하도록 했습니다. 이것은 맥주에 홉·엿기름·이스트·보리와 같은 순수 자연 원료 네 가지만을 사용하도록 한 것으로, 맥주의 순수한 맛을 유지하고 여러 재료가 섞였을 때 생길 수 있는 문제를 방지하기 위해서입니다. 또한 국민들이 식음료로 사용하는 맥주에 해로운 성분이 첨가되는 것을 막기 위한 조치였는데, 이 법은 지금도 철저하게 지켜지고 있습니다.

라이프치히의 주점 이 주점은 괴테의 소설 〈파우스트〉의 배경이 된 곳으로, 독일인에게 술집은 생활의 일부로 자리잡고 있다.

제 4 장
동화 속의 비밀

베를린,
프란츠의 집

상당한
부자라고
하더니만…….

정말
으리으리하군!

잠깐!

이 사람 히틀러의
금괴로 부자가 된 거
아니에요?

그럼 금괴는
이제 없다는
뜻이잖아요!

설마!!

그, 금괴가 없다니.
그런 말은 하지 마~!

히틀러의 금괴는
내 평생 꿈이었단
말이야~!!

게다가 내 철저한 조사에 의하면
프란츠 리텐갈트 씨는
자수성가한 사람이라고.

리텐갈트? 아들인데
칼 소위님과 성이 다르네요?

그러게,
이상하구나.

안돼!

금괴가 어디 있는지는
분명히 이 사람이
알고 있을 거예요!

깜딱!

기다리시게 해서
죄송합니다.

자. 침착하게 정보를
얻어 내야 해요.
침착하게!

알 거라고요~!!

히틀러의 금괴는
어디 있습니까?!

…혹시
칼 소위의 문제로
날 찾아온 거요?

칼 소위라니요,
아버지 아닙니까?

조용히
해요!

음 음

다 알고 왔어요!
다른 거 다 필요 없고,
단도직입적으로
말하겠소!

히틀러의
금괴는
어디 있죠?!

쾅

흠……

푸욱

놀라시게 해서 죄송합니다.

들으신 대로 저희는 히틀러가 남긴 금괴를 찾고 있습니다.

마지막 단서는 프란츠 씨의 아버지 칼 소위님뿐이었는데, 그분이 지금 혼수상태셔서 이렇게 찾아뵙게 되었습니다.

아버지가 혼수상태라고요?!

아버지의 죗값을 치르기 위해서라도 금괴가 있는 곳을 말하란 말이오~!

…….

내게는……, 아버지가 없소.

지금 발뺌하려는 거요?! 당신 아버지가 나치스였다는 게 부끄러운 거라면……!

아유~ 참!

그렇소, 부끄럽소.

그래서 철이 들자마자 아버지와 연을 끊었소.

독일인에게 나치스가
얼마나 수치스런
과거인지 아시오?

난 아버지의 과거 때문에
늘 손가락질받으며 자랐소.

한 곳에 1년 이상 머물지도 못했고,
친구는커녕 학교도 제대로 다닐 수 없었단 말이오.

나치스의
아들은 물러
가라! 우~

그래서 학교를 졸업하자마자
아버지와 연을 끊고
오직 성공만을 위해 살아왔소.

내게 아버지와 나치스는
잊고 싶은 과거일 뿐이오.

그렇다면……

59

한국에서
오셨어요?

그래,
팡이가 동양인이라
어려 보이나 보구나.

그럼 너,
저 할아버지
손자야?

뭐얏?!

할아버지
라니?

으아아아~

아직
축구
중이야!

얘들아,
이제 그만 가서
축구하고 놀아.

아빠는
손님들과
얘기를 좀
해야겠다.

계
익

네, 며칠 전
저희가 찾아뵈었을 때
잠시 정신을 차리셔서
금괴의 행방을 물었죠.

그랬더니 '프란츠, 동화,
금괴, 그들에게' 라는
말을 남기고 다시
혼수상태에 빠지셨습니다.

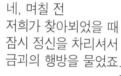

지금 여러분 얘기는
히틀러의 금괴가 어디 있는지
아버지가 알고 있단 겁니까?

아무래도 프란츠 씨가
금괴의 행방을 알고 있을 거라
생각돼서 찾아온 거예요.

제 아내는
유대인입니다.

차 드세요.

*당케!

*당케(danke) 독일어로 '고맙습니다'란 뜻.

그래서 더욱 아버지와
연락할 수 없었죠.
하지만 가족이 생긴
지금은 저도 마음이
달라졌어요.

우리 아이들에게
나치스의 후손이라는 이름을
수치스럽게 물려주고
싶지 않습니다.

히틀러의 금괴를 찾아
나치스에게 희생당한 사람들의
유가족에게 보상하고,

떳떳한
아버지가
되고 싶습니다.

그럼 금괴가
어디 있는지
알려 주시죠!

그건······.

모르겠군요.

아시겠지만 독일에서 나치스와 히틀러에 관한 이야기는 터부로 되어 있지요.

특히 우리 집에선 금지였으니 히틀러의 금괴 얘기를 들었을 리 없죠.

히틀러의 초상화 금지

하켄크로이츠 완장착용 금지

나치 시대의 물건 전시 금지

하지만.

10년 전, 제가 결혼한다는 얘기를 듣고 아버지가 주고 가신 게 있습니다.

전 제대로 읽어 보지 않았지만, 단서가 있다면 아마 여기 있지 않을까요?

일기장이죠.

Tagebuch

이건 동화를 일부러 변형시킨 것 같군요. 뭔가 상징적 의미가 있는 것 같은데요?

그건 또 무슨 말씀이죠?

프란츠 아저씨가 알고 있는 동화는 제2차 세계 대전을 빗대서 만든 것 같아요.

헨젤은 반나치주의자, 마녀는 히틀러, 과자 집은 히틀러의 권력과 나치즘, 사냥꾼은 연합군을 말하는 거죠.

•원작

아궁이 마녀 헨젤 그레텔

•프란츠씨의 얘기

자살

사냥꾼 과자집

게다가 브란덴부르크 문에 뭔가가 있다는 느낌을 주네요.

그러고 보니 아버지가 브란덴부르크 문 근처에 뭔가 묻는 걸 본 기억이 있어요.

야!

뭘 묻었다고요? 그렇다면……!

혹시 금괴를?!

독일의 축제

독일에서는 1년 내내 다양한 행사가 열립니다. 전통 민속 축제와 수확을 기념하는 축제, 뛰어난 음악가를 기념하는 음악제, 종교적인 축제 등 풍부한 행사들이 독일의 365일을 즐겁게 해 줍니다.

옥토버페스트

매년 9월 세 번째 토요일 정오부터 10월 첫 번째 일요일까지 뮌헨에서 열리는 세계에서 가장 큰 맥주 축제입니다. 독일 국민은 물론 전 세계에서 700만 명이 넘는 관광객이 이 축제를 즐기기 위해 모여듭니다. 1810년 10월 바이에른 공국의 초대 왕인 빌헬름 1세의 결혼을 축하하는 축제에서 시작된 옥토버페스트는, 1883년 뮌헨의 맥주 회사들이 축제를 후원하면서 독일을 대표하는 국민 축제로 발전하였습니다.

축제 첫날에는 시민들이 분장하고 음악가 바그너가 세운 극장에서부터 시내를 행진합니다. 동시에 시내 광장에서는 뮌헨의 6대 맥주 회사가 3천 명 이상을 수용할 수 있는 천막 술집을 열어 분위기를 고조시키고, 이어 뮌헨 시장이 그 해 첫 생산된 맥주를 선보이면서 축제의 개막을 선언합니다. 이후 16일 동안 맥주를 마시고 즐기면서 독일이 자랑하는 맥주 축제가 벌어집니다.

©연합뉴스

옥토버페스트
수천 명이 들어갈 수 있는 거대한 천막과 다양한 맥주들은 옥스버페스트만의 특징이다.

사육제

독일에는 부활절 40일 전부터 고기를 먹지 않고 근신하는 사순절이라는 기간이 있었는데, 이 기간이 시작되기 전에 실컷 고기도 먹고 술도 마셔 두자는 잔치가 바로 사육제(謝肉祭), 카니발입니다. 특히 사순절이 시작되기 1주일 전부터 축제는 최고조에 달하는데, '장미의 월요일'에는 거리에 성대한 가장 행렬이 이어지고 밤새 축제가 벌어지지만 축제의 마지막인 '재의 수요일'이 되면 거짓말처럼 온 나라가 조용한 일상으로 돌아옵니다.

독일의 축구

축구는 독일에서 큰 인기를 얻고 있는 스포츠입니다. 독일 축구 협회는 약 2만 5천여 개의 산하 단체를 두고, 회원 수만도 600만 명이 넘는 독일 최대의 스포츠 단체입니다. 1900년에 독일 축구 협회가 설립되었고 4년 후에는 FIFA의 정식 회원국이 되었으며, 20세기 초 바이에른 뮌헨, FC 샬케 04와 같은 축구 명문 클럽들이 잇달아 창단되면서 독일 축구는 전국적으로 인기를 얻습니다.

제1차 세계 대전이 시작되면서 축구의 인기는 잠시 주춤해졌으나 전쟁 이후에 다시 높아져, 등록된 축구 선수의 수도 1919년의 15만 명에서 1932년에는 무려 백만 명을 넘어섭니다. 또한 제2차 세계 대전 이후 축구는 전쟁으로 황폐해진 독일에 자신감을 불어넣어 주는 역할을 하였습니다. 1954년에는 처음으로 월드컵 우승을 차지하였으며, 지금까지 단 세 번을 제외하고는 모두 16강에 진출했습니다.

독일 축구 대표팀은 '전차 군단'이라는 별칭으로도 잘 알려져 있습니다. 이는 뛰어난 조직력과 팀워크, 빈틈없는 수비력과 힘있는 경기를 펼치는 강력한 독일 축구의 특징을 잘 나타내고 있습니다.

독일의 프로 축구 리그인 분데스리가는 1963년에 16개의 클럽으로 시작된 이후, 1974년에 독일이 월드컵에서 우승한 뒤 세계 최강의 리그로 자리잡았습니다.

제 5 장

첫 번째
금괴

베를린 장벽도 사라졌는데 왜 우리 나라는...ㅠㅠ

브란덴부르크 문은 독일이 분단되었을 때 베를린을 나누던 문이죠?

그래, 동독과 서독의 유일한 관문이었지.

제2차 세계 대전 이후 독일은 1945년 얄타 회담으로 미국, 프랑스, 영국과 소련 네 나라가 나누어 점령하게 되지.

세 나라는 소련을 견제하기 위해 점령 지역을 통합했고, 그래서 서독과 동독으로 나뉘게 된 거야.

스탈린   루즈벨트   처칠

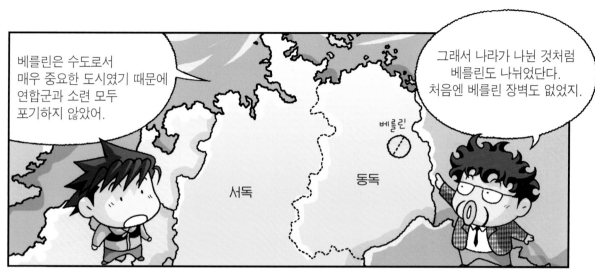

베를린은 수도로서 매우 중요한 도시였기 때문에 연합군과 소련 모두 포기하지 않았어.

그래서 나라가 나뉜 것처럼 베를린도 나뉘었단다. 처음엔 베를린 장벽도 없었지.

서독

베를린

동독

그런데 베를린은 한참 동쪽에 있는데, 어떻게 서쪽에서도 왔다 갔다 할 수 있었죠?

베를린

동독

서독

동독 내에 서독과 서베를린을 잇는 고속도로가 있었거든.

서독 지역이 발전하자 서베를린을 통해 서독으로 향하는 동독 사람들이 많아졌고,

소련에서는 베를린 장벽으로 그걸 막으려 했지.

통일이 된 지금도 동독 지역과 서독 지역의 경제 차이는 큰 문제죠.

부앙—

브란덴부르크 문

어서 금괴가 있는 곳을 말하라고요!!

그런데! 왜! 이런 얘기만 하고 있는 겁니까?!

지금 장난하는 겁니까~?!

그게 얼마나 오래 전 일인데, 좀 있어 보세요.

두리번

두리번

천천히 생각해 보세요. 여기엔 무슨 일로 오셨죠?

베를린에선 원래 옛 동독 지역에 살았어요. 어느 날 밤 아버지가 서쪽 지역으로 가야 한다고 해서 따라나섰죠.

잠에 취한 저에게 〈헨젤과 그레텔〉 얘기를 해 주며 잠 깨라고, 꼭 기억하라고 하셨죠.

그렇게 서쪽으로 넘어간 며칠 뒤……

두리번

두리번

음냐…

이제 그만 파세요. 아무것도 안 나오잖아요.

이럴 리가 없는데…….

맞다, 그땐 아저씨 키가 작았을 테니까 이 위치가 아니네요!

네!

그래! 딱 너만 했겠구나. 네가 위치를 다시 찾아보겠니?

좋아! 다시 한 번 저력을 보여 주지!

괜히 고생했잖아요!

죄송…

아, 여기예요!

이것 참······.

내가 슈퍼맨인 줄 알아요?!

여기도 아닌가?

맞다! 분단되었을 땐 동상이 서쪽을 보고 있었잖아요! 통일 이후에 다시 동쪽을 보도록 방향을 바꿨다던데요!

통일 전

통일 후

뭐야! 그럼 또 파야 되잖아!!

파이팅!!

힘내라, 형!!

탕!

앗!

뭔가 있어요?!

상자다!
이 상자가 분명해!

드디어!

이, 이게

뭐야아~!!

앗!
존즈 씨!

황금은 주인에게
돌아갔다?

주인이라니,
누굴 말하는 거죠?

프란츠의 집

슈투트가르트, 쾰른, 본, 함부르크……, 프랑크푸르트까지 다섯 곳이로군요.

네.

함부르크

쾰른
본 ㅇ프랑크푸르트

슈투트가르트

일기장이나 당시 아버지의 행동으로 봐서는 이곳들이 틀림없어요.

그럼 우리가 처음 갈 곳은 어디인가요?

마지막 기록이 슈투트가르트이니 거기서부터 시작하죠.

꼭 금괴를 찾아 주세요. 더 이상 어두운 과거는 남겨 두고 싶지 않습니다.

우야!

우야앙!

뭘~ 그런 걸 갖고 놀라나?

그럼 전 세계를 다니면서 보물을 찾았단 말이야?

뭐, 그건 기본이고 악당과의 대결도 가끔 있는 정도야.

진짜 재밌겠다!! 엇져!!!

세계를 다니며 고대의 유물을 볼 수 있다니, 정말 재미있겠다.

유물도 유물이지만 세계의 친구들을 만나는 것도 즐거운 일이지~!

아 우!

무슨 얘기들을 하고 있니?

아빠.

저도 팡이와 함께 금괴를 찾고 싶어요. 손녀인 제가 할아버지의 죄를 속죄한다는 의미에서 말이에요.

안나…….

지 교수님,
안나도 함께 데려가
주시겠습니까?

안나는 상식도
풍부하고 관찰력도 높아
큰 도움이 될 겁니다.
제가 갈 수 없으니
대신 보내고 싶군요.

그럼 저도
같이 가는 거죠?!
신난다!!

넌 사고를 너무
많이 쳐서 안 돼.
오히려 폐가
될 거다.

같은
쌍둥이잖아요!
보내 주세요!

쌍둥이라고 다 같니?
그리고 이제부터 넌
할아버지를 간호해야지.

뭐야?

좋아요!
그럼 저도 방법이
있다고요!

자!

제가 안나예요.
어서 보물 찾으러
가요!

베를린 중앙역

기차가 왔군요.
안나를 잘
부탁드립니다.

아까 뮌헨으로
가는 표를 끊으시던데,
무슨 일로 가세요?

아······.

아버지를 만나러
가는 거란다.

마지막이 되기 전에
얼굴을 봐야 할 것
같아서······.

저도 빨리 금괴를
찾아서 할아버지를
만나러 갈게요.

안나야!

아빠!

83

독일의 역사

이탈리아와 네덜란드, 독일, 프랑스 모두 프랑크 왕국에서 나누어진 나라입니다!

고대

기원전 2000년 청동기 문화권이 형성되고
이들이 게르만족의 선조가 됩니다. 375년
훈족의 침략으로 게르만족의 대이동이 시작되고, 이 고대 게르만족 중에서
프랑크족이 서유럽 최초의 통일 국가인 프랑크 왕국을 세웁니다. 메로빙거 왕조와
카롤링거 왕조를 거쳐 카를 대제 때 서로마 제국 황제의 지위를 받지만, 카를
대제의 사후 왕권이 약화되면서 세 왕국으로 분열하게 됩니다.

중·근세

동프랑크의 왕인 오토 대제가 중부 유럽의 패권을 잡자 교황은 신성 로마 황제의
왕관을 수여하고, 이로 인해 신성 로마 제국이 성립됩니다. 신성 로마 제국의 왕위는
여러 왕조를 거쳐 오스트리아가(家)로 넘어갑니다. 오스트리아가는 계속되는 종교
전쟁과 왕위 싸움으로 오스트리아와 프로이센으로 나누어졌고, 신성 로마 제국은
분쟁을 계속하다 1806년, 나폴레옹 1세에 의해 해체됩니다.

근대

1861년 프로이센의 총리가 된 비스마르크는 '철혈 정책'을 주장하며 군비를
확장하여 독일을 통일하지만, 1914년 오스트리아 황태자의 암살 사건으로
제1차 세계 대전이 일어나고, 독일 제국은 붕괴됩니다.

현대

군주제에서 공화제로 바뀐 독일은 1919년 바이마르 공화국으로 거듭납니다.
그러나 1929년에 시작된 세계 대공황으로 혼란이 시작되고, 이때 나치스 세력인
히틀러가 정권을 잡게 됩니다. 이후 오스트리아와 체코슬로바키아를 병합하고
폴란드를 침입하여 제2차 세계 대전이 시작됩니다. 1945년 독일이 연합군에게
항복하고 히틀러가 자살함으로써 오랜 기간 계속된 전쟁이 막을 내립니다.

분단과 통일

제2차 세계 대전에서 패한 독일은 포츠담 협정에 의해 미국·영국·프랑스가
관리하는 서독 지역과 소련이 관리하는 동독 지역으로 나뉩니다. 서독은 마셜
플랜(유럽 부흥 계획)에 의해 미국의 경제 원조를 받아, 이것을 바탕으로 통화
개혁을 실시하고 경제를 부흥시킵니다. 그 과정에서 동독의 경제에 혼란이 오자
소련은 동서로 나뉜 베를린에서 동측 지역을 봉쇄하여 냉전 체제를 강화합니다.
1972년에는 '동서독 기본 조약'을 맺어 평화롭게 공존하기로 하나, 동독 측이
1민족 2국가를 주장해 통일이 계속 미뤄집니다. 그러나 소련에 고르바초프가
집권하면서 동구권에 개혁의 바람이 불어 1989년 11월 베를린 장벽이 붕괴되고,
1990년 10월 3일 역사적인 통일을 이룹니다.
통일 이후 독일은 통일 전 파산 지경에 이르렀던 동독 경제의 회복과 동서독 주민
간의 경제적 차이, 사회주의 체제에서 빚어졌던 재산권 문제 등 많은 문제를 안게
되었지만, 슬기롭게 극복해 나가고 있습니다.

베를린 장벽 동서 베를린 사이에 세워진 40여km의 콘크리트 장벽으로, 동서 냉전의 상징물로 여겨졌다.

제 6 장
허틀러의 자동차

베를린

어서 출발해!

예!

무사히 빠져 나오셔서 다행입니다.

쟝이 네오나치스 녀석들을 잘 따돌리고 있을까요?

그 정도도 제대로 못하면 내 부하라고 할 수 없지. 그리고 지금 쟝을 걱정할 때가 아니야.

금괴가 기다리고 있다고~!!

부아아앙

왜 나만 이런 고생을···

터벅··· 터벅···

난 몸매가 안 되잖아!

여기에 나치스의 비밀 금고가 있다고요?

비밀 금고를 관리한 칼 슈나이더 소위의 기록이 아니었으면 이런 창고가 있는 줄도 몰랐을 거야.

슈나이더 소위는 혼수상태고, 다른 관계자는 모두 죽었으니 이제 여길 아는 건 우리뿐이지~

그러니까 이곳의 금괴는 다 내 거라고!

굳게도
닫아 놨군.

얀센,
문을 열어.

예!

독일 내의 외국인 거주자가
7,400만이나 되는데 독일인만을
위한 독일을 만들겠다고?
요즘 같은 글로벌 시대에
바보 같은 네오나치스 놈들.

보스,
다 됐습니다.

자, 이제……

난 부자……

92

아무튼 난 내 할 일 다 했으니 약속한 사례금이나 주시오.

칼 슈나이더……?!

그렇소, 사례금 달라니까 무슨 딴소리요? 어서 정리하고 끝냅시다.

칼 슈나이더는 어디 있나~?!

얀센! 항균 스프레이!

예!

어서 질문에 대답해!!

자, 자세한 건 모르지만 뮌헨의 어느 병원에서 떠날 날만 기다리고 있다 들었소.

이렇게 되면 금괴를 찾는 것 말고도 할 일이 더 생겼군.

그리고 닥터 봉! 보물찾기에 일인자라더니, 실망이야.

해고라고!

뭐, 뭐야?!

두둥!

기껏 고생해서 금괴의 행방을 알려 줬더니, 해고?!

이런 건 내 쪽에서도 거절이야!

잘 됐군, 그럼 우리 일은 없었던 걸로 하지.

물론 사례금도.

이런 날강도들! 그런 게 어디 있어!!

지금 불만이라는 건가?

이유는 그것만이 아니야. 데리고 와.

예!

장!!

우릴 따돌리고 금괴를 차지하려 한 것 정도는 알고 있었다고!

처음부터 너희와 일하는 것 자체가 찜찜했어!

피차 없었던 일로 하지!

그거 잘 됐구먼! 돈 굳었어~!

크하하

보스, 잠시만……

음?

뭐? 그자를 찾았다고?

소근… 소근…

좋았어, 오히려 잘 됐군!

캬캬캬

보, 볼일 끝났으면 그만 가 보지 뭘 하는 거야?!

버럭

흥!

흠음…….

스으

쿠우

보스, 이대로
물러나실 겁니까?

시끄러워!
나도 짜증난다고.

놈들에게 이용당하고,
수고비도 못 받고,
이런 수모가 어디 있어요?!
보스답지 않으세요!!

저희들을 사랑하기는 하세요??

물론,

이대로 물러날
수야 없지.

스이익

네오나치스 놈들,
이 닥터 봉을 얕보면 어떻게 되는지
똑똑히 보여 주겠다!!

곰팡이나 도토리묵
모두 잘 살고
있잖아요!!

뭐야!

너희들이 그러고도
내 부하냐!

퍽퍽퍽

살려
주세요!
보스!!

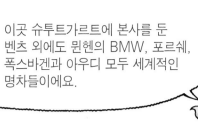
이곳 슈투트가르트에 본사를 둔
벤츠 외에도 뮌헨의 BMW, 포르쉐,
폭스바겐과 아우디 모두 세계적인
명차들이에요.

독일은 세계적인 자동차 생산국이잖아요.
독일의 자동차 산업은 자동차의 역사와
함께 해 왔다고 해도 과언이 아니죠.

 벤츠

BMW

폭스바겐

포르쉐

아우디

이 경주용 차는
나한테 딱인걸?

부릉 부릉

페달에 발이
닿기는 하니?

치~ 숏다리라고
놀리세요?!

쿵

이런 차는 나처럼
터프한 트레저 헌터에게
더 잘 어울리지!

풀딱

어떠냐?
멋지지?!

알았어, 내가 잘못했다고. 어서 금괴가 있는 곳이나 찾자고요!

나만 왕따시켜!

아빠 말씀으로는 여기에 탐내는 사람의 손이 붙는 황금 자동차가 있다고 했어요.

이번 이야기는 그림 형제의 동화 〈황금 거위〉를 변형시킨 것 같구나.

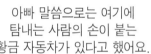

• 황금 거위

• 황금 자동차

칼 슈나이더 씨의 이름으로 기증된 자동차가 있다고 했죠?

저 사람에게 물어 보죠.

저, 여쭤 볼 게……

...

아, 그 차는 저쪽에 있습니다. 안내해 드리죠.

YES!

벤츠 770은 전세계에 몇 대 없는 차죠. 2,700kg이라는 엄청난 무게에 8기통 엔진을 달아 안정성이 뛰어나답니다.

일본 천황과 사우디 국왕도 탔어요!!

소문에는 히틀러가 탔던 차라고도 하더군요.

히틀러가 탄 차요?!

이 차가 바로 칼 슈나이더 씨가 기증한 차입니다!!

두ㄹ둥!

끼익

뭐야! 그냥 쇠로 된 차잖아!!

정말 금으로 된 차인 줄 아셨어요?

아니! 너 언제!

크크

아저씨~, 저희 사진 좀 찍어 주세요.

그래. 어디서 찍어 줄까?

역시 이 안에 숨겼었군!

진짜요?!

이번에도 금가루만 남아 있어.

히틀러가 탔건 안 탔건 이 차는 껍데기나 다름없다고!

아직 남은 곳이 많잖아요. 금괴는 꼭 있을 거예요.

또 없다니!

콰

콰

그래도 기운 빠지잖아.

사실 나도 힘 빠져!

푸우

독일의 대표적인 자동차

메르세데스 벤츠

엔지니어 출신인 고트립 다임러와 칼 벤츠의
회사가 합병되어 설립한 회사입니다.
메르세데스란 '우아함'이란 뜻의 스페인어로,
벤츠 사가 유럽 전역으로 진출하는 데 큰
역할을 한 사업가의 딸 이름을 딴 것입니다.

메르세데스 벤츠의
트레이드 마크는
별을 상징한답니다!

BMW

1916년 뮌헨에서 항공기 엔진 회사로 설립된 BMW는 자동차와 모터사이클을
함께 만들고 있습니다. 제2차 세계 대전 후 항공기 엔진과 로켓을 생산했다는
이유로 연합국에 의해 생산 금지 명령을 받기도 했으나, 현재는 뛰어난 성능과
디자인으로 사랑받고 있습니다.

아우디

아우디의 창립자는 먼저 자신의 이름을 딴 호르히란 회사를 세웠으나, 자동차
경주에 몰두해 쫓겨나고 맙니다. 이에 호르히의 어원인 라틴어 '아우디'를 이름으로
한 회사를 다시 세웠고, 이후 호르히와 아우디는 다른 두 회사와 합병해 오늘날의
아우디가 되었습니다.

폭스바겐

정말 비슷한데?!

1934년, 히틀러의 집권 아래 독일의 국민차 개발
명령이 떨어지고, 페르디난트 포르쉐 박사에 의해
딱정벌레라는 별명을 가진 폭스바겐이 만들어집니다.
제2차 세계 대전으로 폭스바겐 사는 몹시 어려워졌지만

1946년 다시 생산을 시작하여, 현재 전 세계 자동차 시장의 약 12%를 차지하는
세계 4위의 자동차 그룹으로 성장했습니다.

포르쉐

독일 자동차 산업에 큰 영향을 끼친
페르디난트 포르쉐 박사의 엔지니어링
사무소에서 시작되었습니다. 스포츠카 제조
기술에 있어 뛰어난 기술 개발과 혁신을 통해
스포츠카의 대명사로 불리고 있습니다.

© 연합뉴스

포르쉐 911 1963년에 생산된 모델로 포르쉐가
세계적인 명성을 얻는 데 일익을 담당했다.

아우토반

아우토반은 속도 제한이 없는 것으로 유명한 독일의 자동차 전용 고속도로입니다.
1932년에 건설되기 시작하여 국토 대부분에 총 1만 1천km 길이로 뻗어
있습니다. 처음 만들어졌을 때는 전 구역에 속도 제한이 없었지만, 지금은 지역에
따라 제한 속도를 두는 곳이 많습니다. 최고 속도에 대한 규제가 없는 만큼 과속에
의한 교통사고가 많을 것 같지만, 통계 자료에 따르면 속도 제한이 있는 이웃
프랑스나 이탈리아에 비해 고속도로 내 교통 사고율은 비슷하거나 오히려 낮다고
합니다. 그러나 속도가 높은 만큼 일단 사고가 발생하면 대형 사고인 경우가
대부분이고, 또한 자동차 속도가 높으면 에너지 소비가 많아지는 것은 물론 유해
배기가스가 많이 방출되어 환경 문제에도 큰 영향을 끼치기 때문에 아우토반의
속도 제한 문제는 계속 논의되고 있습니다.

© 알토비즈

아우토반 권장 속도는 시속 130km이며 도시 권역과 위험 지역은 시속 100km로 제한을 두고 있다.
이외에는 모두 속도 무제한 구역이다.

제 7 장
독일에서 동화 찾기

이번 목적지는 쾰른!

독일에서 가장 큰 성당으로 유명한 곳이지!!

독일 성당의 어머니라 불리는 쾰른 대성당 때문에 쾰른 하면 성당, 성당 하면 쾰른이라 불릴 정도였어요.

엄마~ 엄마~

공사가 중단된 시간까지 포함하면 무려 632년에 걸쳐 지어졌지.

공사비만 해도 12억 5천만 유로나 들었다면서요!

우리 돈으로 1조 4617억!!

108

쾰른은 향수로도 유명해요.

오~! 트레비앙!

향수의 일종인 오드콜로뉴는 프랑스어로 '쾰른의 물'이란 뜻이에요. 쾰른의 향수가 프랑스로 건너가 유명해진 것이거든요.

감귤계의 향유를 알코올에 섞었지요!!

어디 보자, 쾰른 대성당에 얽힌 이야기는…….

잠자는 쾰른 성당의 미녀?

마법의 향수를 맡고 잠든 공주를 깨우기 위해 성당을 만들어야 했다고?

아무튼, 그래서 공주가 잠들어 있던 곳은…….

음.

성당이 보이는 이곳이란 말씀이죠?

좋아! 어디 한번 파 볼까?

파!!

오~! 나왔다!! 황금 찾기 전용삽!!

109

함부르크

함부르크는 베를린 다음가는 도시로, 정식 명칭은 자유 한자 도시 함부르크란다. 상업이 발달했고, 인공 호수인 알스터 호도 유명하지.

챗! 가루만 남아있잖아!

또 고생만 했어!

한자요? 혹시 이 漢字 말씀하시는 거예요?!

독일에서도 한자를 썼다니, 대단한데요~!

外 바깥 외 宇 집 우
木 나무 목
水 물 수
漢字 한나라 한 글자 자
足 발 족 生 날 생 九 아홉 구 天 하늘 천 地 땅 지

너 정말 여기서 말하는 한자가 뭔지 모르는 거냐?

아하하, 농담도 못해요?

보물찾기 짱 맞아?
아하하하

여기서 말하는 한자(Hansa)는 무리, 떼를 뜻하는 독일어로 한자 동맹을 말하는 거잖아요.

한자 동맹이란 상인들의 연합 단체로 시작해 도시 동맹으로 성장했죠. 도시의 자치와 치안 등을 위해 도시 간에 맺은 정치·군사적 동맹이고요. 중세 유럽의 상업에 큰 영향을 끼쳤으며, 가장 번성했을 땐 동맹 도시가 100개나 됐어요.

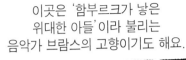
이곳은 '함부르크가 낳은 위대한 아들'이라 불리는 음악가 브람스의 고향이기도 해요.

함부르크의 동화는 〈개구리 공주〉구나. 알스터 호를 거닐던 브람스가 곡이 써지지 않아 고민하자, 개구리 공주가 나타나 뽀뽀해 주면 곡을 쓸 수 있도록 도와 주겠다고 했대.

뽀뽀해주면 곡 쓰게 해 줄게!!

그래서! 금괴가 있을 만한 곳은 어딥니까?!

브람스와 개구리 공주가 만난 곳이 아닐까요? 알스터 호 쪽으로 가 보죠.

알스터 호?

알스터 호

그럼 이곳에 금괴가 있단 얘기죠?

이번에야말로 반드시 금괴를 찾고야 말겠어!

111

어허, 이 만화가 학습만화란 걸 잊었습니까?

학생들에게 꼭 필요한 상식이에요!

내가 미쳐!

이 사람들이랑 오는 게 아니었어!

크흑···

본은 베토벤의 고향이죠? 베토벤은 〈운명 교향곡〉을 만든 사람이고요.

맞아, 피아노곡으로 유명한 〈엘리제를 위하여〉도 베토벤의 작품이지.

사실 베토벤은 나도 좋아해.

그 중에서도 이 곡이 제일 좋아~.

딴 딴 따안~ 딴, 따라따라 따안~ ♪

그게 무슨 곡이에요?

딴딴이라니, 음을 전혀 모르겠어요.

그··· 그러니까 그게····

바이올린을 공부하나 보구나?
난 피아노를 배우고 있어.

나중에 같이
연주하면 좋겠다.

잠깐!

우린 금괴 찾으러 가야지.
저 녀석이랑 노닥거릴
시간 없다고.

팡이 요 녀석.
그리스에서 헤라를
가로챈 것도 모자라
이젠……!!

토리야~!
우리와 같이
보물을 찾지 않겠니?

여기서 이렇게
만난 건
하늘의 뜻이야~!

진정한 보물찾기 짱의
모습을 보여 다오!

좋아요,
함께 찾을게요!

고맙다,
토리야!

하지만 바이올린
강습 때문에 온 거라 바로
합류하긴 힘들 것 같아요.

토리야~,
날 두고 가지
말아 다오~!!

그, 그럼
우선 지금은
함께 가고 나중에
정리하러 잠깐
다녀올게요.

고맙다,
고마워!!

으아아~!
그만 좀 해요!!

지 교수님,
지금 가는 곳은
베토벤 생가예요?

그렇단다.

음악의 성인이라 불리는
베토벤은 병으로
귀가 들리지 않게 된 뒤에도
계속 창작 활동을 한
훌륭한 음악가죠.

아···
안 들려
!!

같이 가요!!

아야! 잘난 척 시작이다!

베토벤 생가

아빠가 들은 동화는
베토벤의 〈불멸의 연인〉과
연관이 있어요.

평생을 바쳐
사랑한 사람에 대한
이야기구나.

응.

베토벤은 어릴 적부터
이웃에 사는 라푼첼이란
여인을 사랑했대.

하지만 라푼첼에게는
이미 약혼자가
있었던 거야!

베토벤을 사랑했던 라푼첼은
베토벤에게 생명처럼 여기던
긴 머리카락을 잘라 주었고,
베토벤은 그 머리카락을 묻은
나무를 보면서 곡을 썼대.

슬픈
사랑 이야기잖아.

이게 대체
무슨 소리야?

라푼첼은 마녀의 성에
갇혀 살았……,
컥!!

가만히
듣기나 해!

크흐흑…

그나저나 나무? 이번엔 나무 밑을 파 봐야 하나?

나무는 전혀 안 보이는데?

뒤로 돌아가면 정원이 있어!

다다다

여기야!

어디지? 어느 나무야?!

또 아무 데나 파려는 거예요? 제발 참으세요.

굳이 라푼첼을 언급한 이유가 뭘까?

라푼첼 하면 역시 긴 머리, 긴 머리라면……

저기 머리카락처럼 덩굴이 드리워진 나무다!

내가 알아 낸 거잖아!
공을 가로채려는 거야?!

무슨 소리!
보이는 대로
말한 것뿐이라고!

좋았어!

그럼 다시 한 번
도전이다!!

허락도 없이 팠다간
박물관 직원이 가만 있지
않을 거예요!

대체 그런 건
어디서 꺼냈어요?

말리지 마!

일단 파고
보는 거야!!

잠시 후

어이가 없군요!

유네스코의 고문인 고고학자가 이래도 되는 겁니까?!

조송합니다!

칼 소위 할아버지는 대체 왜 이렇게 금괴를 나누어 숨기고, 또 위치에 대한 단서를 어렵게 해 놓은 걸까요?

계란은 한 바구니에 담지 말라잖니. 그 많은 금괴가 있는 걸 누군가가 알아 내면 위험하니까 나누어 놓은 거겠지.

또 프란츠 씨가 단서에 대해 눈치챌 나이가 되면 함께 나치스 활동을 하려 한 거 아닐까?

아, 아니 내 말은 칼 소위 생각이 그렇지 않았을까 한다는 거지…….

아빠는 그럴 분이 아니에요!

왜들 그러니? 교수님.

남은 곳은 프랑크푸르트뿐인데, 그 전에 뮌헨에 잠시 들러 할아버지를 뵙고 가도 될까요?

할아버지가 깨어나서 금괴가 있는 곳을 알려 주실지도 모르잖아요.

흠......

그래, 프란츠 씨에게 상황 보고도 해야 하니 뮌헨으로 가도록 하자.

잠깐!

감사합니다!

프랑크푸르트가 바로 코앞인데 뮌헨이라뇨?!

우리가 지금 놀러 다니는 것도 아니잖습니까!

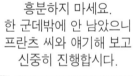

흥분하지 마세요. 한 군데밖에 안 남았으니 프란츠 씨와 얘기해 보고 신중히 진행합시다.

그리고 당신 뒷처리 하는 것도 지겹다오.

다음 행선지가 결정됐으니 전 프랑크푸르트로 바로 갈게요.

그래.

아예 오지 마라!

122

오늘이 무슨 날인가?

존즈 씨에게 메시지가 와 있습니다.

나한테요? 메시지를 보낼 사람이 없는데?

누구지?

무슨 편지예요?

아, 아무것도 아니다!!

지, 지 교수님. 제 친구가 이 근처에 왔다고 연락이 왔네요. 잠시 친구 좀 만나고 오겠습니다.

아, 네……

먼저 쉬세요~!!

부아앙

뭔가 이상한걸?

그럼 나는 올라가서 좀 쉬어야겠구나.

어, 지금이 무슨 기간인지 알고 쉬시겠다는 거예요?

맞다! 옥토버페스트 때문에 이렇게 도시 전체가 술렁이는구나!

그렇다면 아무리 피곤해도 그냥 쉴 수는 없지!!

푸하하하하

OKTOBERFEST MÜNCHEN

옥토버페스트(Oktoberfest)는 매년 9월 세 번째 토요일부터 10월 첫 번째 일요일까지 열리는 맥주 축제예요.

이 축제는 1810년 바이에른의 국왕 빌헬름 1세와 작센 공주의 결혼식을 축하하는 축제에서 유래되었지요.

브라질의 리우 카니발, 일본의 삿포로 눈 축제와 함께 세계 3대 축제로 불리지?

잘 아는구나, 유럽에서 가장 큰 축제 중 하나거든.

리우 카니발

삿포로 눈 축제

이 기간에는 맥주 회사들이 커다란 천막을 지어 참가하고, 다양한 민속 행사와 놀이 기구로 분위기를 돋운다고.

전 세계에서 관광객들이 모이고, 엄청난 양의 맥주와 소시지가 소비되는 정말 대단한 축제야.

관광객 500만 명 이상
맥주 500만 리터 이상
소시지 20만 개 이상

127

야호~, 신난다!!

잠시 후 광장에서 맥주 많이 마시기 대회가 시작됩니다.

소시지와 감자 요리 등 안주는 무한정 제공되니 배고픈 분들도 모두 참가하세요!

우승자에게는 상금과 함께 황금 맥주잔이 수여됩니다! 자신 있는 분들은 참가하세요!

우아, 딱 삼촌을 위한 대회네요!

안 돼, 난 소개팅 때까지 다이어트 할 거야.

바흐

독일 바로크 음악을 대표하는 작곡가이자 오르간 연주자인 요한 세바스찬 바흐는, 200여 년에 걸쳐 50명 이상의 음악가를 배출한 바흐 가문에서 가장 위대한 음악가입니다.

서양 음악사를 집대성한 것은 물론, 우수한 제자를 많이 길러 내 후대 음악 발전에 큰 영향을 끼쳤습니다. 특히 19세기에는 그의 작품이 음악의 전통으로 여겨지면서 모차르트와 베토벤, 브람스와 같은 대음악가들 모두 바흐의 음악을 존경하고 연구해 자신의 음악을 발전시켰습니다.

베토벤

베토벤은 하이든·모차르트와 더불어 빈 고전파를 대표하는 작곡가입니다. 7세 때부터 연주회를 열었고, 11세 때는 최초의 작품을 발표하는 등 뛰어난 재능을 보인 베토벤은 27세 무렵부터 느꼈던 난청이 음악가로서 치명적인 귓병으로 악화되자, 자살을 결심하기도 합니다. 그러나 교향곡 제3번 〈영웅〉, 교향곡 제5번 〈운명〉, 오페라 〈피델리오〉, 피아노 협주곡 제5번 〈황제〉, 피아노 3중주곡 〈대공〉, 교향곡 제7번과 제8번, 교향곡 제9번 〈합창〉 등 수많은 걸작을 작곡하였고, 이후 거의 청각을 잃은 상태에서도 작품 활동을 계속해 나갑니다. 56세로 세상을 뜬 베토벤의 장례식에는 2만 명이 넘는 시민들이 참가해 애도하였다고 합니다.

루드비히 반 베토벤
고난을 극복한 베토벤의 정신력은 음악은 물론 생활 태도에서도 귀감이 되고 있다.

바그너

라이프치히에서 태어난 바그너는 작곡가일
뿐만 아니라 지휘자, 시인, 오페라 개혁자,
문화 철학자, 음악제 주최자를 겸한 종합
예술가입니다. 바그너는 19세기의 노래와 춤에
치우친 오페라에서 벗어나 음악을 연극의 극적
전개에 결합시킨 악극을 창시하였습니다.
이러한 그의 음악 기법과 사상은 후세의
작곡가들에게 큰 지침이 되었을 뿐 아니라,

바그너의 예술관과 세계관은 철학자와 작가들을 비롯하여 문학인들에게도
다채로운 영향을 주었습니다. 베토벤의 작품을 듣고 음악가가 될 것을 결심한
바그너는 베토벤에 관한 저서를 남기기도 했습니다. 바그너의 오페라와 악극은,
그가 죽은 후에도 아내 코지마를 비롯해서 장남 지크프리트, 손자 발란트 등의
노력으로 매년 여름 바이로이트 음악제에서 계속 상연되고 있습니다.

브람스

요하네스 브람스 작곡가이자
피아니스트였던 브람스는, 오페라를
제외한 모든 분야에서 작품을 남겼다.

함부르크에서 태어난 브람스는 19세기 후반의
낭만주의를 대표하는 음악가의 한 사람입니다.
브람스는 자신만의 풍부하고 다양한 감정을 음악에
담아, 소박하고도 인간적인 곡을 많이 남겼습니다.
브람스의 음악은 낭만적이지만, 음악적으로는
독일 음악의 전통을 따라 구성과 형식이
뚜렷하다는 특징을 갖고 있습니다. 특히 기악
작품에서는 전통 형식과 기법에 신선한 생명감을
불어넣었습니다.

제 8 장
마지막 도시

삼촌,
정신 좀 차리세요.

아, 아무래도 난
꼼짝 못할 것 같아.
토리가 도와준다니
그나마 다행이구나.

또…
토리삭

도움이
되기는커녕…….

▷ 웃!

아악

웃

뿌디디디딕
뿌디딕ㅗ

어쩔 수 없죠.
이제 프랑크푸르트만 남았으니
아이들과 함께 찾는 수밖에요.

그, 그럼……

휴

아, 걱정 마십시오.
소개팅은 잊지 않고
꼭 시켜 드리겠습니다.

정말 고맙……

우읏!

콰르르릉

드디어 마지막 도시!
이번엔 꼭 찾았으면
좋겠어요!

ANWOHNER

그래, 이번에는
반드시……

프랑크푸르트에선 어디로 가야 해?

프랑크푸르트에서는 괴테와 관련된 얘기였어.

그럼 괴테의 생가에 먼저 가 보자.

독일의 전철은 U반과 S반으로 나뉘는데, 공항에서는 S반을 타면 금방이에요.

U반은 버스와 함께 시내를, S반은 도시와 도시를 연결하죠.

이번 이야기는 〈젊은 베르테르의 슬픔〉이란다. 로테와의 사랑을 이루지 못한 베르테르가 쿠데타를 일으켜 왕이 되려 했고, 그게 실패하자 권총 자살 한다는 내용이야.

쿠데타에 왕이오? 원래는 그냥 자살하는 거잖아요.

〈젊은 베르테르의 슬픔〉 같은 고전을 알고 있다니, 대단한걸?

뭐야?!

괴테라면 〈파우스트〉를 쓴 독일의 대문호조? 이번엔 동화가 아니네요.

베르테르는 대관식을 올리던 곳 근처의 폐허에 묻혔다고 했어. 하지만 프란츠 씨는 프랑크푸르트에 특별히 기억나는 장소가 없다더구나.

덜컹
덜컹

그런데 왜 하필이면 왕이 되려고 했을까요?

괴테가 바이마르 공국의 재상이라서 그런가?

뭐라고?

베르테르, 왕, 대관식……. 전혀 상관 없는 얘기가 이어지는 걸 보면, 단순한 암호일 수도 있어.

프랑크푸르트에는 신성 로마 제국 황제가 대관식을 올리던 카이저 돔이 있잖아요. 카이저란 독일어로 황제, 돔은 교회란 뜻이죠.

일단 괴테 생가를 거쳐 카이저 돔으로 조사 경로를 잡죠.

역시 토리 네가 오니 조사 일정이 체계적으로 잡히는구나~.

보물찾기 짱 토리가 어디 가겠어요?

내 코보다 더 길잖아!

하 하 하 하

괴테의 생가

괴테가 글을 쓰던 방이야.

이건 괴테가 태어났을 때 울린 시계고.

특이하게 생겼네~

여긴 제2차 세계 대전 이후 계속 박물관으로 쓰였으니, 이곳에 금괴를 감추진 못했을 거예요.

그래요, 괴테와 베르테르에는 다른 뜻이 있는 것 같아요.

카이저 돔은 대관식을 올리던 성당으로 구시가지의 중심에 있어. 폐허가 있을 리 없는데……

괴테란 단서도 중요하지만, 뭔가 묻힌 곳은 폐허잖아요.

괴테의 친필

141

요새의
폐허라고?

그렇다면
저 유적
근처에?!

어서
가 보자!!

같이
가요!

베르테르를 언급한 건
괴테를 표식으로
삼으려 한 거야!

괴테 생가가 이쪽
방향이니까……

카롤링거 왕조의
요새 유적

유적 안은 아니야.
고고학자들이 발굴해 낼 수도
있으니까……
그럼 대체 어디지?

안나, 프란츠 씨한테 연락해 봐!
이 부근을 설명하면 기억해
낼지도 몰라!

네!

왜 전화를
안 받으시지?

다시 한 번 해 봐!
지금 금괴가 발 밑에
있을 수도 있다고!!

아, 여보세요?
아빠, 저 안나예요.

떠리리

프란츠 씨!
금괴에 거의 다 왔어요!

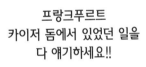

탁!

프랑크푸르트
카이저 돔에서 있었던 일을
다 얘기하세요!!

가닥
가닥

글쎄요, 카이저 돔이라…….
생각이 날 듯 말 듯한데요.

아, 카롤링거 왕조의
유적이 있는 곳이죠?
생각났어요!

아버지가 그 부근의 도로 공사를 한 적이 있어요.

나치스였단 이유로 일자리가 없던 아버지는 밤에도 혼자 보도블록을 깔 정도로 열심이셨죠.

아빠....

보도블록?

혹시…….

이 보도블록 아래에 금괴를?

에이, 설마~. 그렇게 허술하게 감췄을까.

설마라면서 보도블록은 왜 들어내세요?

혹시 모르잖아!

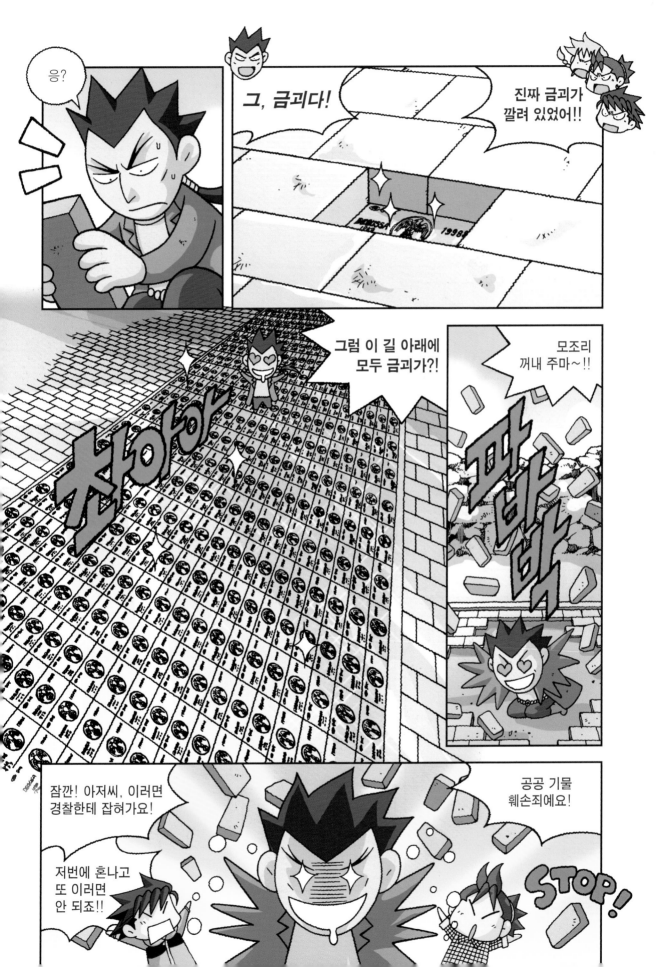

우리가 프란츠 씨의 얘기에만 너무 의존한 게 아닐까요?

정작 일기장에서 찾은 단서는 너무 적었잖아요.

그럴 수도 있겠군!

더드드드득

네, 인디아나……, 아!

네, 네. 알겠습니다!

쾅!

저번에도 저런 메시지를 받고 나갔던 것 같은데…….

난 잠시 친구 좀 만나고 올 테니, 먼저 자라!

휴다닥─

이상해…

독일의 대표 문학가

오스트리아 빈에 있는
괴테의 동상.

괴테

독일 문학의 거장으로 칭송받는 괴테는
고전파를 대표하는 시인이자 작가로 알려져
있습니다. 그러나 작가뿐만 아니라 바이마르
공국의 재상·궁정 극장의 감독·변호사 등
다양한 직업을 가졌으며, 문학 작품 외에도
식물학·해부학·광물학·색채론 등에도
재능을 보인 자연 과학자였습니다.
괴테의 이러한 재능과 열정은 그를 단순한
작가나 예술가로 평가하는 데 그치지 않고
괴테 자체가 존경받는 이유이기도 합니다. 특히 〈젊은 베르테르의 슬픔〉은 세상에
적응하지 못하고 고민하는 청년의 모습을 묘사함으로써 문학에 새로운 바람을
일으켰으며, 이에 공감한 젊은이들 사이에서는 자살이 유행하기도 했습니다.
괴테가 57년에 걸쳐 쓴 대표작 〈파우스트〉는 괴테 인생의 경험과 그 당시의 모든
문화와 사상을 표현한 걸작으로, 인간의 존재와 인간성, 자연과 신에 대한 뛰어난
해석을 보여 주고 있습니다.

그림 형제

독일 설화 문학의 창시자로 불리는 형 야코프와 동생
빌헬름 두 형제는 모두 언어학자로 게르만 언어학의
선구자입니다. 그러나 낭만파 문학의 영향으로
향토적이고 서민적인 것에 깊은 애정을 갖게 되어
고대 게르만 문학이나 언어, 전설, 설화 등으로 관심을
돌립니다. 이에 전설과 설화를 모아 〈그림 동화집〉으로 알려진 〈어린이와 가정의
동화〉를 출판하고, 이 책을 통해 이름을 알리게 됩니다. 〈그림 동화집〉은
동화로서의 역할 외에도 독일 민속학을 탄생시키는 계기가 되었습니다.

그림 형제의 동화는 그림 형제가
지은 게 아니라 독일의 전설과 설화를
모아 다듬어 낸 거라고요

독일의 대표 철학가

칸트

칸트는 서유럽 근세 철학의 전통을
집대성하고 새로운 기초를 확립하였으며,
〈순수 이성 비판〉, 〈실천 이성 비판〉,
〈판단력 비판〉과 같은 3대 비판서로 근세
철학사상 가장 중요한 인물의 한 사람으로

오후 3시로군!!

칸트는 철학은 물론
시계처럼 정확한
시간에 산책을 나선
일화로도 유명하답니다!

꼽힙니다. 독일 관념론 철학의 시초로 그 영향은 다시 영국과 프랑스의 이상주의
철학에까지 미쳤습니다. 이후에 나타난 수많은 철학 조류도 모두 직접, 간접적으로
칸트의 영향을 받았다고 할 수 있습니다.

헤겔

칸트와 같은 시대에 태어난 헤겔은, 동시대의 가장 큰 사건인 프랑스 대혁명에
큰 영향을 받아, 이성과 자유에 대한 믿음을 바탕으로 한 철학을 자신의 과제로
삼았습니다. 그리고 모든 것이 분열된 당시 유럽의 상황에 맞서, 역사와 문화에
나타나는 모든 문제를 철학을 통해 설명하고 진리를 파악하려 했습니다.

니체 19세기 목표 의식을 잃은 대중에게
'신은 죽었다'라는 말로 자기 극복을 위해
힘써야 한다고 주장했다.

니체

니체는 철학뿐만 아니라 현대 사회와 문화
전 분야에 걸쳐 영향을 끼친 서양 철학사의
거인으로 불립니다. 전통적인 서양 종교·도덕·
철학에 깔려 있는 근본 동기를 밝히려 했으며,
허무주의와 실존주의의 선구자로 후세 사상에
큰 영향을 미쳤습니다.

대표작으로 〈차라투스트라는 이렇게 말하였다〉,
〈비극의 탄생〉, 〈인간적인 너무나 인간적인〉,
〈트리스탄과 이졸데〉 등이 있습니다.

제 9 장
브레멘의
수색대

브레멘

브레멘, 이곳에서는
반드시 금괴를 찾아 낼 수
있을 거야!

아
아
아

그런데 일기장에
대체 뭐라고 써
있었어요?

씨익

그동안에 비하면
천 배는 확실한
단서가 있었지!

아
쩌
쩌

바로 칼 소위가
프란츠 씨에게 보내는
편지야!

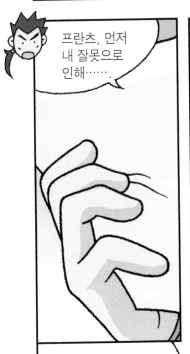

프란츠, 먼저
내 잘못으로
인해…….

나치스의 잔당!! 물러가라!!

흑…
아빠
미워!

어릴 적부터 네게
아픔을 준 것에 대해
미안하다는 말을 하고 싶구나.
내가, 나치스가 지은 죄는
어떻게 해도 씻을 수 없는
무거운 것이겠지.
내 죄를 사죄한다는 뜻으로
네게 꼭 주고 싶은 게 있었다.
너와 내가 태어난 곳에
내 마음을 묻어 두었다.

소원이 이루어지는
다리 아래를 파 보렴.

언제나 너를
사랑한단다.

할아버지…….

이게 소원이 이루어지는 다리라고?

〈브레멘의 음악대〉 동상이잖아.

눈을 꼭 감고 동상의 당나귀 다리를 만지면서 소원을 빌면 소원이 이루어진다는 전설이 있어.

그래서 이렇게 하얗지!!

틀림없이 이 아래에 금괴가 있을 거야!

좋아! 그럼 다시 한 번~!!

그덜럭

안 돼요!

또 경찰에게 쫓기고 싶어요?!

콰!!

잠깐, 여기 좀 봐!

벽돌에 아빠 이름이 적혀 있어!

그러고 보니, 이 벽돌만 유달리 새 것 같은데?

FRANZ

어? 빠져?!

편지야!

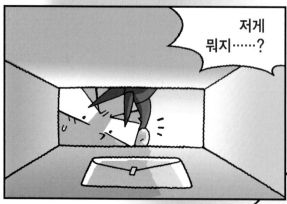

저게 뭐지⋯⋯?

우아~,
이 동상은
또 뭐야?

이건 카를 대제의
조카인 롤란트 기사의
동상이야.

역시 600년이나 된 이 동상은
교회의 권력이 강했던 시절에도
도시의 자치권이 브레멘에 있었음을
말하는 거래. 즉 자유와 시민권을
상징한다고 할까?

나도
안다고!

저 칼도
교회를 향해
있는 것 같지
않니?!

이 동상이
서 있는 한 브레멘은
영원히 번영한다는
전설이 있어.

부글
부글

헷갈린다고
했잖아!
조용히 해!!

꽉!

163

열렸다!

지, 진짜 금괴야!

내 평생 소원이……

이게 대체 몇 개야…… 몇백억어치는 되겠어!

이 많은 걸 혼자서 챙기려 했다니……

히틀러 이놈!

이제 이 금괴로 할아버지의 명예를 되찾아 드릴 수 있겠어!

상자 정말 크다~! 우리 힘으로는 어림도 없겠는데요?

흐흐흐...

하나씩 꺼내면 되겠지?

날 새겠다!

기중기를 부르면 되잖아.

지금 기중기를 어디서 불러?

역시, 어설픈 유물 에이전트보다 낫군.

턱

수고 많았소,
인디아나 존즈 씨.

여, 여긴
어떻게……?!

아저씨, 이 사람은
누구예요?

저
사람은?!

꼬마 아가씨는
나를 알아보는
모양이군.

이 놈의
인기는…

저 사람은
네오나치스야!!

뭐?

정말?

금괴를 찾으면 내가 연락하겠다고 했잖소!

아저씨!

이 많은 금괴를 보면 누구나 욕심이 생기는 법이지.

게다가 당신은 저 꼬마들까지 함께잖소.

그래서 감시를 붙였지.

이럴 수가!

어떻게 아저씨가 우릴 배신할 수 있어요!

다른 사람도 아니고 네오나치스와 손을 잡다니!!

친구를 만난단 핑계로 나치스를 만나러 갔던 거군요!!

미안하다…….

하지만 금괴를 찾기 위해선 어쩔 수 없었어!

히틀러의 금괴를 찾는 건 내 평생의 소원이었다고!!

자, 그럼 지금부터 우리 나치스의 재산을 구경해 볼까?

스윽

안 돼요! 이건 우리가 찾은 거라고요!!

팡

이 맹랑한 동양 꼬마 녀석!!

휙

우리가 단서를 제공하지 않았으면 너희는 금괴 구경도 못했어!

퍽!

으악!

무슨 소리야! 당신들이 준 단서는 전혀 도움이 안 됐다고!

그랬나? 아무튼 그런 건 상관 없어!

이제 얘기는 끝났다!

자, 어서 저 녀석들을 잡아!

예!

유네스코 선정 독일의 대표 세계 문화유산

아헨 대성당(Aachen Cathedral : 문화, 1978)

중세 건축의 장엄미를 대표하는 성당으로, 785년 무렵 카를 대제 때 궁정 예배당으로 건설되었습니다. 비잔틴과 프랑크 양식이 융합된 카롤링거 왕조의 르네상스를 대표하는 건물입니다. 카를 대제의 유해가 예배당에 안치되어 있으며, 그가 신성 로마 제국의 수호성인이 된 뒤 이곳은 알프스 이북 지방 최고의 순례지가 되었습니다.

아헨 대성당 성당의 보물 창고에는 중세의 세공품을 비롯하여 7년에 한 번 공개되는 성물이 보존되어 있다.

슈파이어 대성당(Speyer Cathedral : 문화, 1981)

성모 마리아 성당과 성 슈테판 성당, 네 개의 탑과 함께 '황제 성당'이라는 별칭으로 불리는 바실리카식 성당으로, 신성 로마 제국의 로마네스크 양식 건축물 가운데 가장 중요한 걸작입니다. 1030년 콘라드 2세 때 건설되어 300년 동안 독일 왕과 황제의 묘소로 쓰였습니다.

베를린과 포츠담의 궁전과 공원들

(Palaces and Parks of Potsdam and Berlin : 문화, 1990, 1992, 확장 1999)

포츠담에는 1730년부터 1916년까지 5km²에 이르는 공원과 150개의 건물이 건립되어 하나의 예술 단지가 형성되었고, 이 건물과 공원들은 베를린 지역까지 확장되어 하벨 제방과 글렌니케 호수에까지 이르렀습니다. 1757년 프레드릭 2세가 만든 상수시 궁전은 프로이센의 베르사유라고도 불립니다.

쾰른 성당(콜로뉴 성당, Cologne Cathedral : 문화, 1996)

건립된 지 약 760년가량 된 쾰른 성당은 중세기 독일 최대의 성당이며 쾰른 시의 상징이기도 합니다. 1248년에 초석을 놓았고 1322년에 성가대석이 완성되었지만, 그 이후에 작업 속도가 느려져 16세기에는 작업이 중단되기에 이릅니다. 그러나 19세기에 잃어버린 줄 알았던 설계도가 발견되면서 다시 건축이 시작되었고, 632년 만에 높이 157.38m의 성당이 완성되었습니다.

쾰른 성당 북유럽에서 가장 큰 성당으로, 천 년에 걸쳐 모인 유물과 예술품이 보관되어 있다.

브레멘 마르크트 광장의 시청과 롤란트 상

(The Town Hall and Roland on the Marketplace of Bremen : 문화, 2004)

독일 북서부 브레멘의 마르크트 광장에 자리잡은 시청 건물과 롤란트 상은 신성 로마 제국에서 발전된 유럽의 시민권과 교역권을 상징하는 대표적인 유산입니다. 1404년에 만들어진 높이 5.5m의 롤란트 상은 정의의 검과 쌍두 독수리 방패를 들고 브레멘 시를 지키고 있습니다. 롤란트 상이 있는 한 도시가 번영한다는 전설 때문에 제2차 세계 대전 때에도 시민들은 목숨을 걸고 이 동상을 지켰다고 합니다.

브레멘의 음악대 브레멘의 이름을 알린 동화 속 주인공들을 기념하기 위해 만든 동상으로, 롤란트 상과 함께 브레멘 시를 상징한다.

제 10 장

금괴의
진짜 주인

조금이라도 멀리 가야 해!

헉 헉

이쪽으로 가자!!

빨리 경찰을 부르지 않으면 헌터 아저씨가 위험해!

헉 헉

애, 애들아 잠깐만!

잠깐만 기다려!

왜 그래,
안나?

할아버지와
아빠의 명예를
회복하기 위해서는
저 금괴가 꼭 필요해!

조금이라도
갖고 가야
한다고!

지금은 그럴 때가 아니야.
목숨이 위험하다고!

금방 갔다 올게!
너희가 먼저 가서 경찰에
알리면 되잖아!!

이러다간
모두 잡히겠어.

내가 갖고 갈 테니,
먼저 도망가!

토리야!!

어디
갔지?

두리번   두리번

으아악!!

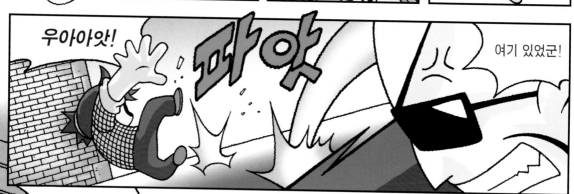

우아아앗!   여기 있었군!

토리야!   그러게
먼저 경찰에
알리자니까!!

친구를 두고
도망칠 순 없어!

토리를
놔 줘!!

177

두, 두목님!
금괴가 없습니다!!

그게 무슨 소리야?

이게 뭐야!!

아래쪽엔 이런 것이!

귀하의 후원에 감사드립니다.
*다하우 수용소 피해자 대표?
전쟁 피해 유대인 장학 재단 설립 후원 증서?

대체 이게 뭐야?!

그럼, 저 상자 안엔 금괴가 가득한 게 아니라……

*다하우 수용소 제2차 세계 대전 당시의 유대인 강제 수용소.

절대
용서할 수
없어!!

이게 다
너희들 때문이야!

할아버지가 남긴
마음이라는 건…….

금괴로 전쟁 피해자들에게
보상을 하고 남긴 증거구나!

칼 소위!
끝까지 나치스의
앞을 가로막는구나!!

그만둬!

그만두긴
뭘 그만둬?

대체 여긴 어떻게 알고 온 거야?

끈질긴 놈!

내가 못 갈 곳이 어디 있겠어!!

삐요 삐요

보스, 경찰이 옵니다!

그래?

이 금괴는 어떻게 할까요?

내버려 둬, 이 닥터 봉이 겨우 그걸 가지고 뭐에 쓰겠어?

곰팡이, 도토리! 다음에 다시 보자!

부아앙

무사해서
다행이다!

존즈 씨가
미리 연락을 주지
않았더라면……

아빠!

크으…….

칼 소위 3대가
모두 나치스의
원수구나!

칼 소위 3대가 원수라니?!
아버지는 나치스에
충성한 게 아니었나?

소개팅 날

누, 누구세요?

접니다,
지구본 교수.

장염 때문에
살이 좀 심하게
빠졌거든요.

다른 사람인 줄
알았어요!

흥

왜 그러시죠?

제가 맘에 안 드시나요?

전 통통하고 귀여운 분이라고 해서 나왔다고요!

빌떡

이럴 수가! 멋지게 변신한 삼촌이 퇴짜를 맞다니!

다시 동그란 몸매를 만들 테다!!

아줌마!! 여기 초코 케이크 3판 주세요!!

〈독일에서 보물찾기〉 마침. 〈호주에서 보물찾기〉도 기대해 주세요!

강작가의
유럽여행기

앙굴렘 견학 겸 독일 자료 취재를 하기 위해 8박 9일 동안 유럽에 다녀왔습니다.

오예!

역시 파리는 예술과 낭만의 도시더라고요! 지하철은 덜 깨끗했어요. ㅠㅠ 거리에 담배 꽁초도 많고… OO

퐁네프 다리 근처에서 마셨던 핫 초코 맛은 완전 감동이었어요.

여긴 앙굴렘에 있는 검은 고양이 카페

루브르는 너무 커서 하루만에 다 구경하기 힘들었어요. 오르세 미술관은 구경하기 딱 좋았어요~♪

독일로 가는 기차 안에서 '봉쥬르' 하며 생긋 웃는 아가씨에게 그만… 얼굴이 빨개져서 모른 체 했어요 OO

독일 하이델베르크 성에 도착했어요.

맥주로 유명한 나라답게 세계에서 가장 큰 맥주통이 성 안에 있었어요.

캬!

쾰른 성당에서 소원을 빌었어요.

'보물찾기'가 두 배로 팔리게 해 주세요!

드디어 일정을 마치고 한국에 도착! 시차 적응하기 힘들어요. 이젠 좀 쉬어야…

잘 다녀오셨죠~!!

예!!

편집장 박모씨

아… 쉴 틈이 없군요 ㅠㅠ

흐흐흐… 그럼 이제 원고 하셔야죠!! 파이팅★

원고 끝나면 또 갈거야!

에그박사와 함께하는
생생 관찰 스토리, 세 번째 이야기!

자연 생물 관찰 만화
에그박사 3
Egg & Bugs

원작 에그박사
글 박송이 | 그림 홍종현

ⓒThe Egg / CJ ENM .

모두 모여라, 절지동물!
다지류와 거미류 집중 관찰!

다닥다닥 다리가 대체 몇 개지?
수많은 다리를 지닌 지네와 그리마,
머리가슴과 배로 나뉜 거미와 전갈 등
절지동물을 만나러 출발해 보아요!

원작·감수 에그박사 | 글 박송이 | 그림 홍종현
감수 CJ ENM 다이아티비 | 값 12,000원

근간 예정 | 에그박사 ④

3권에 채집된 생물

그리마 · 지네 · 거미 · 전갈

> 자연에 대한 따뜻한 정서 공감과 탐구 본능을 일깨워 보아요!

흥미진진한 구성

생생한 관찰 에피소드!

똑똑해지는 워크북 활동

쉽고 재미있는 생물 정보

유튜브 크리에이터 에그박사

Mirae N 아이세움   서울특별시 서초구 신반포로 321   미래엔 고객센터 1800-8890

현대적이고 세련된 풍경을 자랑하는 도시!
싱가포르에서 보물찾기

GARDENS BY THE BAY

SINGAPORE FLYER

SULTAN MOSQUE

MARINA BAY SANDS

sentosa

"시즌 1 완간입니다.
Thank you요!"

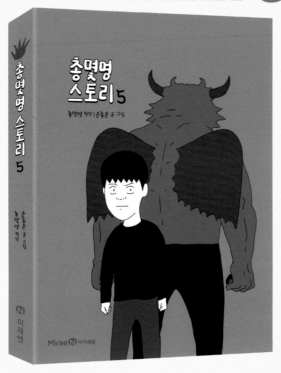

총몇명 스토리
5권 출간!

부락토스를 부활시켜 지구를
멸망시키려는 부락토스교의 음모,
루시퍼와 부락토스의 최후의 결전 등
끝까지 긴장을 늦출 수 없는
역대급 스토리가 펼쳐집니다!

원작 **총몇명** | 글·그림 **윤종문**
감수 **샌드박스네크워크**
값 **12,000원**

결말의 여운으로
일상생활에 지장이
생길 수 있습니다!

총몇명의 오리지널 콘텐츠
<총몇명 스토리>가 만화로 재탄생!

여운 포인트 1.

끝까지 긴장감 넘치는 전개

여운 포인트 2.

읽는 재미를 더한 특별 페이지

애니메이션 원작자
총몇명의 미공개
인터뷰 수록!

Mirae N 아이세움   서울특별시 서초구 신반포로 321   미래엔 고객센터 1800-8890